ᓄᓇᐅᑉ ᒥᒃᓵᓄᑦ ᐅᖃᐅᓰᑦ
NUNAUP MIKSAANUT UQAUSIIT
LAND WORDS

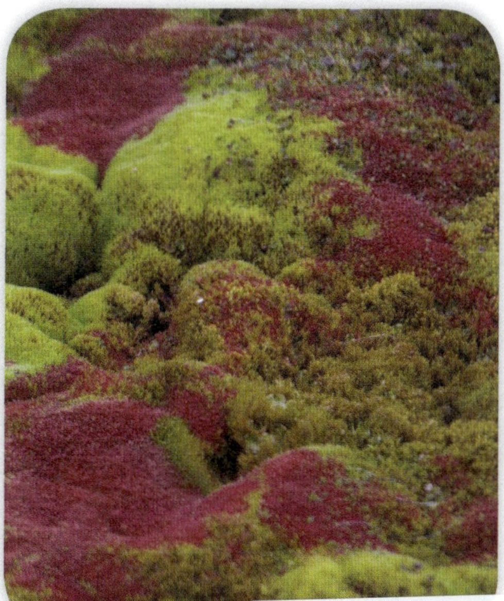

ᖃᖅᑲᖅ

qaqqaq

mountain

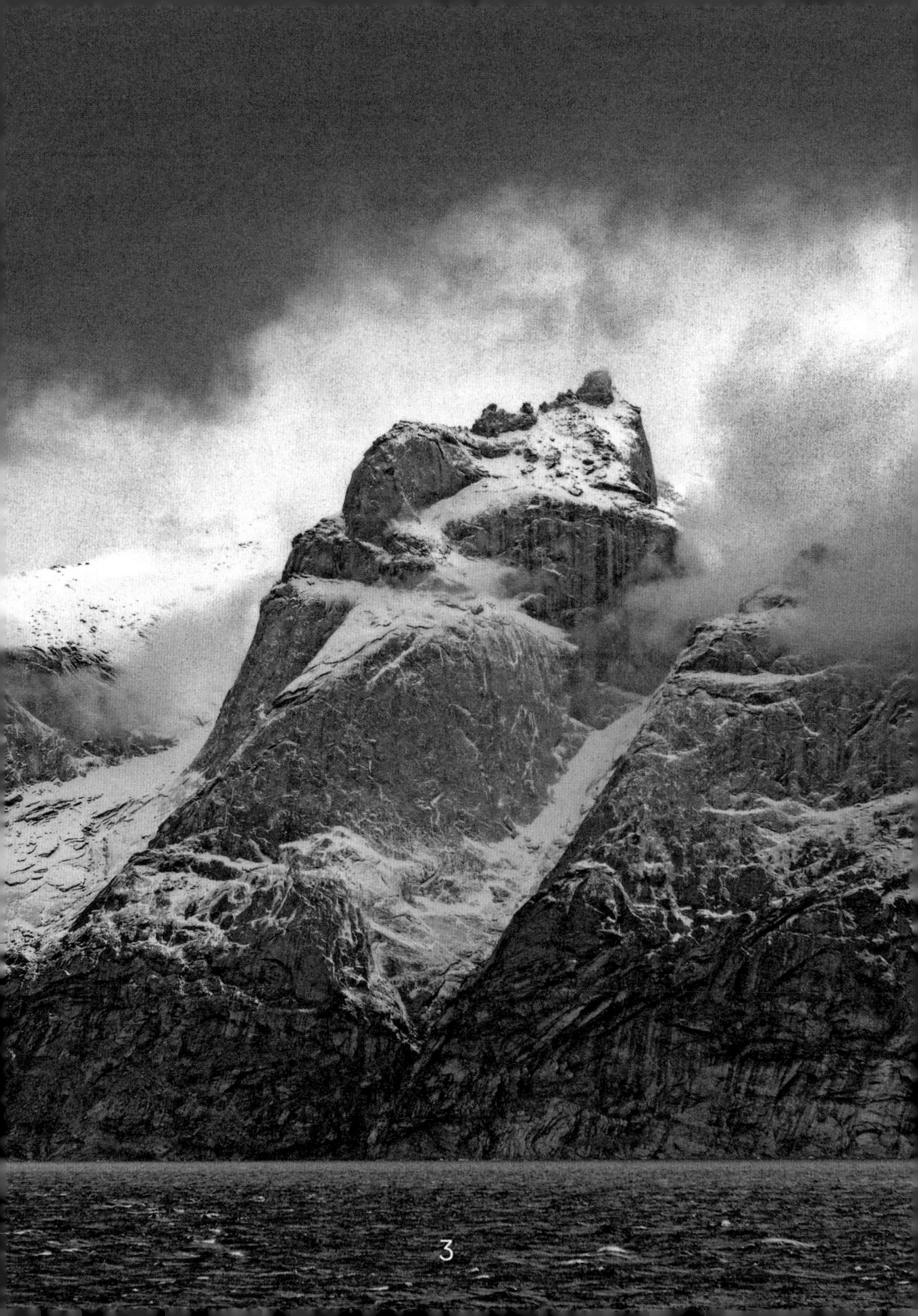

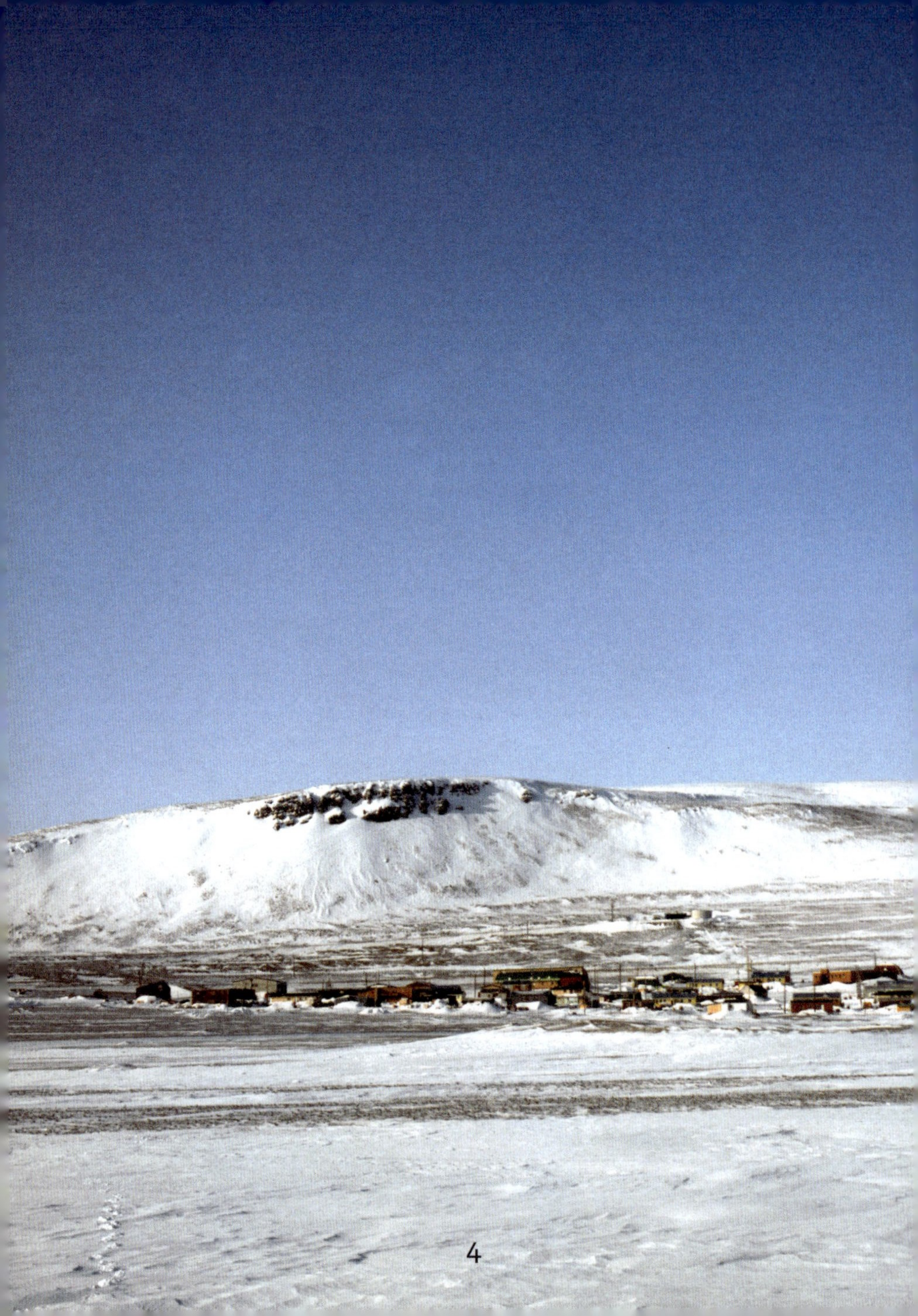

ᐱᖑᖅ

pinguq

hill

ᐅᔭᕋᒃ

ujarak

rock

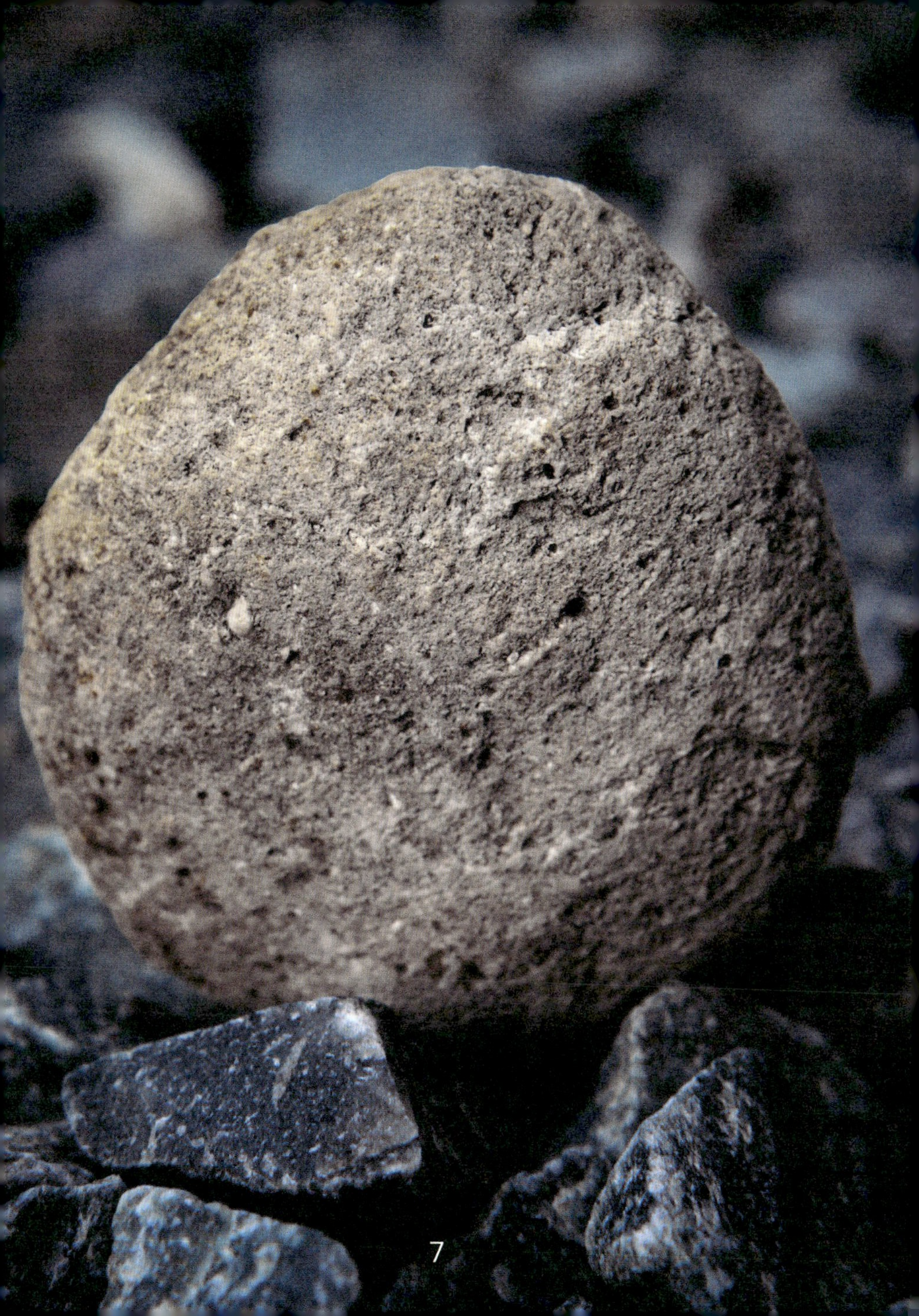

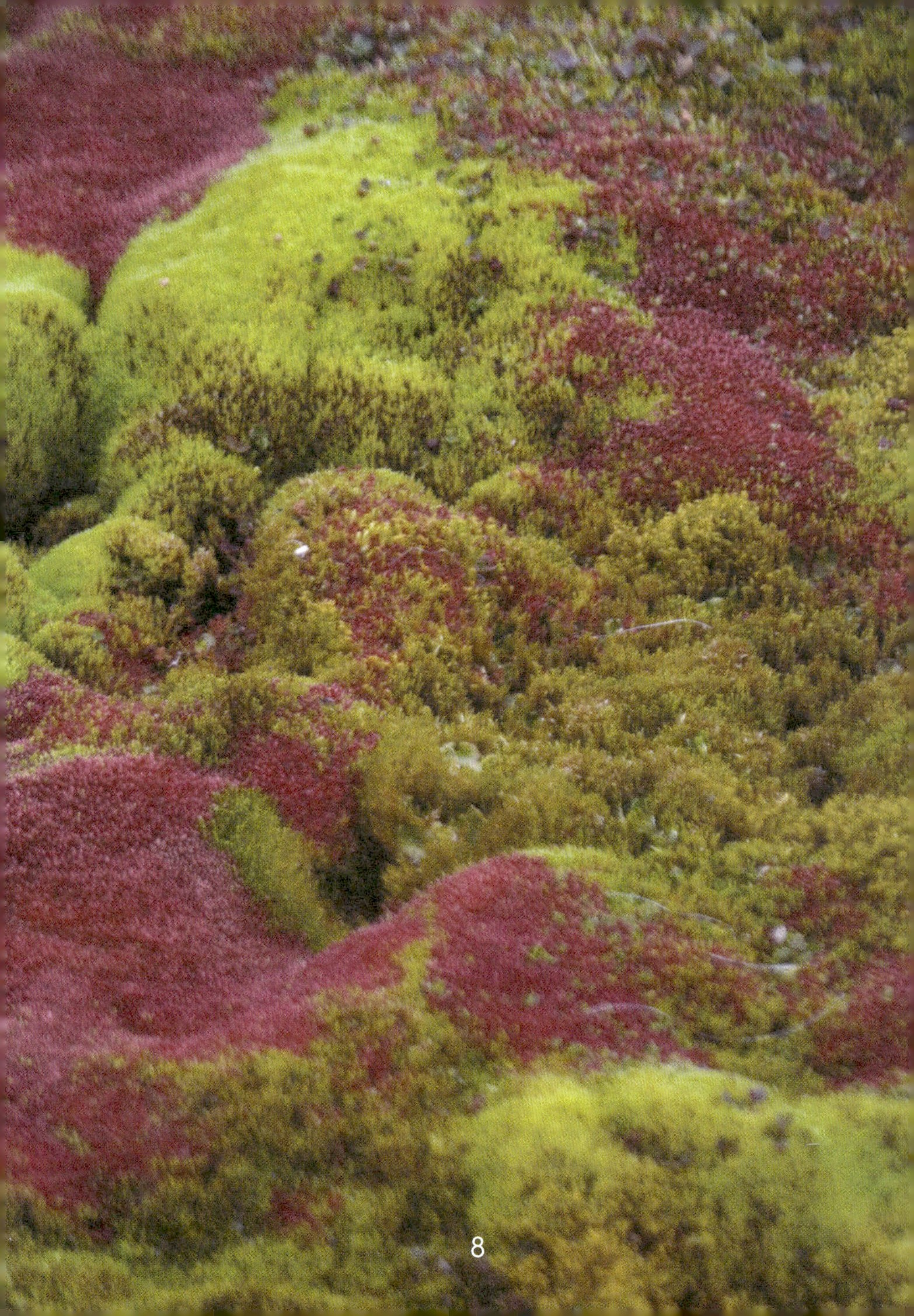

ᓂᕐᓇᐃᑦ

nirnait

moss

ᐊᖅᑯᑎ

aqquti

road

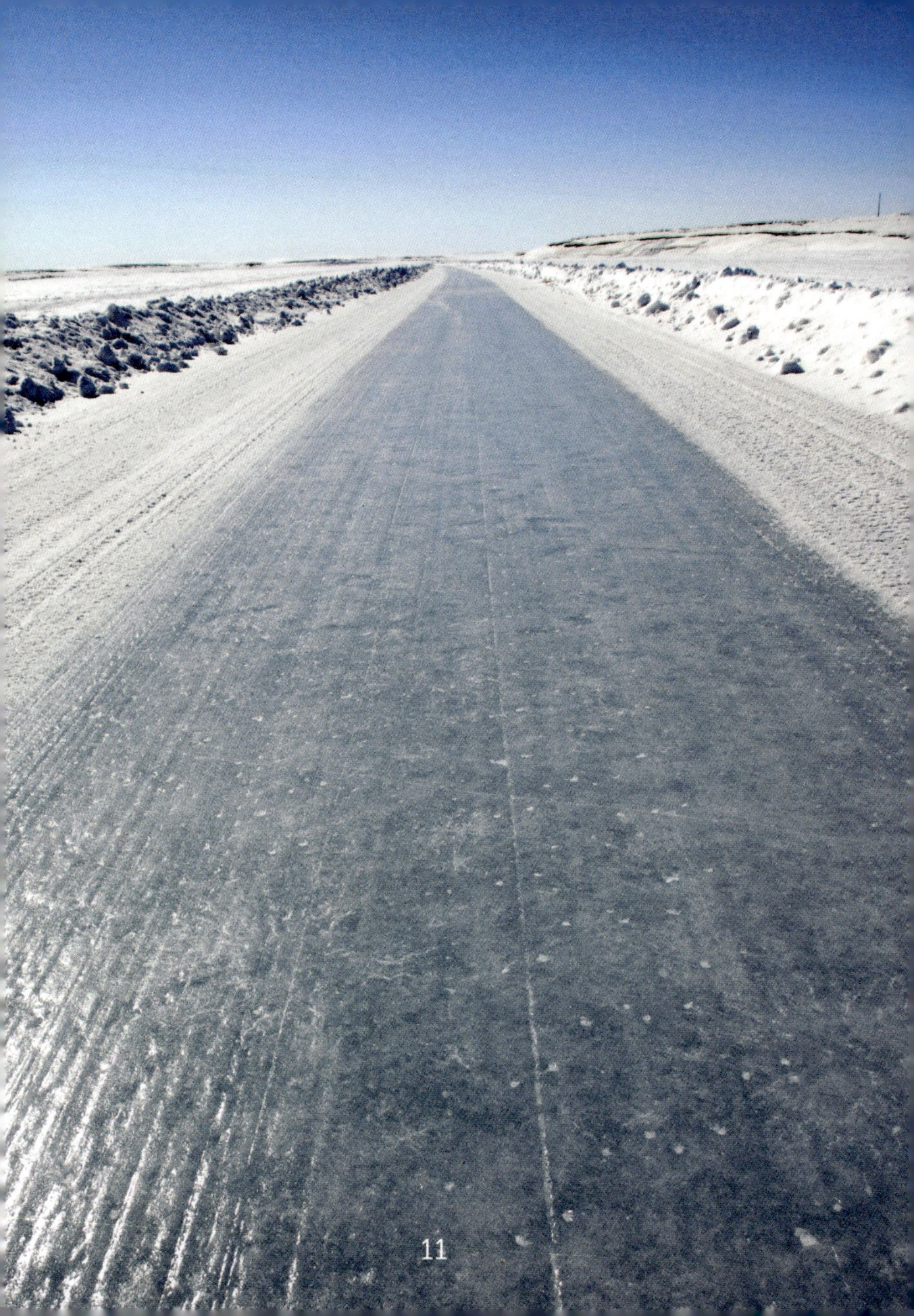

Nunavummi